À ma maman qui a si souvent lavé mes draps de lit !
M.-A.B.

Collection conçue et réalisée par Marie-Aline Bawin

Direction éditoriale : Christophe Savouré
Édition : Marion de Rouvray
Mise en page : Sylvaine Beck
Fabrication : Vincent Châtelet

© 2007 Mango Jeunesse, Paris

Loi n°49-956 du 16 juillet 1949 sur les publications déstinées à la jeunesse
Tous droits de traduction, de reproduction et d'adaptation strictement réservés pour tous pays.
Dépôt légal : septembre 2007
ISBN : 978 27404 2322 6
N° d'édition : M07122
Achevé d'imprime en août 2007 sur les presses de l'imprimerie Stige à Turin en Italie

www.editions-mango.com

Tom fait pipi au lit

Illustrations de Marie-Aline Bawin
Texte d'Élisabeth de Lambilly

MANGO JEUNESSE

Cette nuit, je me réveille en sursaut.
Sous moi, c'est tout chaud…
Oh, non ! j'ai fait pipi dans mon lit…

… et mon pyjama propre est tout mouillé.

Je ne veux pas que Maman vienne.
Je vais me débrouiller tout seul.
Il faut que je trouve un autre pyjama.

BING ! Zut, mon clown !
Ah, c'est malin
de faire autant de bruit !

D'ailleurs, ça réveille Papa…
Il n'a pas trop l'air fâché.
Je lui explique que tout ça, c'est à cause
de mon clown qui est tombé.

Pour aider Papa, je mets tout seul un drap propre sur mon matelas.
Ça sent bon la lessive. Mon lit est bien sec maintenant.

Le lendemain matin, il faut laver les draps.
C'est moi qui les apporte, c'est comme ça quand j'ai mouillé mon lit.
Heureusement, je les ai bien roulés et mon pipi est bien emballé !

Au petit déjeuner, je demande à Maman combien de dodos
il me reste avant d'aller dormir chez ma marraine.
Maman sourit.
– Ah ! je comprends pourquoi tu ne manges rien ce matin.

– Viens, Tom, me dit-elle. Allons voir ton calendrier.
Regarde tous ces soleils. C'est toutes les nuits où tu n'as pas fait pipi.
Et il y en a de plus en plus, non ? Alors, chez Marraine, ça va bien se passer.

Mais moi, je veux être sûr de ne pas mouiller mes draps.
Comment je pourrais faire ? Peut-être mettre ma combinaison de ski
ou enfiler dix pyjamas superposés…

… ou dire à Marraine que j'ai peur d'avoir froid
pour avoir plein de couvertures que je poserai sur le matelas.
De toute façon, je suis grand. Donc, pas question de mettre une couche !

Le matin du départ, je prépare tout seul mon sac.
– Tom, tu ne pars que deux jours ! me dit maman.
Mais moi, j'ai plein de choses à montrer à Basile : ma coiffe d'Indien,
ma locomotive électrique et mes nouveaux chevaliers.

J'adore aller chez Marraine et puis Basile,
c'est mon cousin préféré.
En arrivant, je lui dit tout de suite que j'ai emporté mes chevaliers.

– Dis, Basile, tu crois que les chevaliers faisaient pipi
dans leur lit quand ils étaient petits ?
– Mais non, et puis, les couches, ça n'existait pas dans les châteaux forts…

Au dîner, je fais bien attention à ne pas boire trop d'eau.
Je fais rire tout le monde quand j'explique que les petits chevaliers
ne mettaient pas de couches.

Avant d'éteindre la lumière, oncle Henry nous raconte
l'histoire de l'énorme crocodile, celui qui a très faim et s'en va à la ville
pour se mettre quelques petits lapins sous la dent. Ça fait un peu peur
mais heureusement, ça finit bien.

– Allez, mes grands, il est temps de dormir,
dit Marraine en éteignant la lumière. Tom, ne t'inquiète pas,
il y a la veilleuse et je laisse la porte ouverte. Bonne nuit !

Pendant la nuit, je me réveille. Je ne sais plus très bien où je suis…
Et j'ai très envie de faire pipi…
Mais, il faut que j'aille vite, vite aux toilettes.

Dans le couloir, oh, là, là, il fait tout noir !
Je ne sais pas où il faut appuyer pour allumer…
J'entends des drôles de bruits.

Et si c'était l'énorme
crocodile ? Peut-être qu'il
est tranquillement installé
dans les toilettes et que,
si j'ouvre la porte,
il me croquera avec toutes
ses dents pointues.

Je n'ose plus bouger… Trop tard !
Mon pipi dégouline sur mes pieds et mouille le plancher.
Je voudrais que maman soit là et je pleure si fort que Marraine arrive.

– Oh, excuse-moi Tom, j'ai oublié de laisser la lumière.
Le pyjama que Marraine me prête est trop grand,
on ne voit plus mes mains. Alors on rit tous les deux.

Quand papa et maman viennent me chercher,
je me précipite pour leur dire que mon lit était sec ce matin.
Maman me dit qu'elle est très fière de moi.

Sur mon calendrier, les nuages ont disparu et,
le matin, je ne dessine plus que des soleils.
Et derrière le dessin que j'ai fait pour Marraine, j'écris :
« Je ne fais plus pipi au lit ».